BRUXELLES BRUSSELS

Texte / *Text*: Sergi Doladé i Serra
Photographies / *Photographs*:: Andrew Critchell - AVM

Mise en page/design et reproduction, entièrement conçues et réalisées par les équipes techniques de :
Diagrams and reproduction conceived and carried out in their entirety by the technical teams of:
EDITORIAL FISA ESCUDO DE ORO, S.A.

© EDITORIAL FISA ESCUDO DE ORO, S.A.
Veneçuela, 105 - 08019 Barcelona (España).
www.eoro.com
© Editions AVM

ESCUDO DE ORO

La Grand Place ou « le plus beau théâtre du monde » d'après Jean Cocteau.

Jean Cocteau called the Grand Place «the most beautiful theatre in the world».

BRUXELLES BRUSSELS

Capitale de la Belgique et siège d'importantes institutions européennes (Commission et Parlement) et atlantiques (OTAN), Bruxelles, l'ancienne Broekzele, doit son nom à la zone marécageuse sur laquelle elle se trouve. Située entre les plaines marneuses de l'Ouest et les collines de l'Est, son altitude oscille entre les 15 mètres des boulevards centraux aux 100 mètres des parcs de Forest et Duden. Elle est habitée par près d'un million d'âmes et, bien qu'elle se trouve dans une enclave de la zone linguistique flamande, sa langue majoritaire est le français (85%).

On peut situer l'origine de la Bruxelles historique en l'an 977, lorsque le duc de la Basse Lotharingie y fit construire un château et une chapelle dédiée à Saint-Géry. Elle fut successivement résidence des comtes de Lovaine, des ducs de Brabant et des ducs de Bourgogne. Elle passa aux mains de l'Espagne au XVIe siècle et, en 1 716, elle appartint à l'Autriche. Après une union éphémère avec la Hollande, au Royaume des Pays Bas, durant laquelle elle fut capitale avec La Haye, elle devint capitale du royaume indépendant de la Belgique en 1830.

The Belgian capital and seat of many important institutions, both European (Commission and Parliament) and Atlantic (NATO), Brussels (ancient Broekzele) owes its name to the marshlands on which it was founded. Lying between the loamy plains to the west and the hills to the east, the city's altitude ranges between 15 metres above sea level in its central boulevards to the 100-metre height of the Forest and Duden parks. The population is around one million. Although located in the Flemish linguistic area, French is the language most spoken by the city's population (85%).

Historically, the origins of Brussels go back to the year 977, when the Duke of Lower Lotharingia ordered a castle and a chapel devoted to Saint Gery built here. The residence successively of the counts of Leuven, the dukes of Brabant and the dukes of Burgundy, in the 16th century Brussels was taken over by Spain, falling under Austrian dominance in 1716. In 1830, after a short-lived union with Holland in the Kingdom of the Netherlands, sharing the status of capital with The Hague, Brussels became the capital of the independent Kingdom of Belgium.

La Grand Place, présidée par l'Hôtel de Ville et sa tour incomparable.

The Grand Place, presided over by the Town Hall with its matchless tower.

LA VILLE BASSE

La Ville Basse est le centre historique et commercial de Bruxelles. C'est l'endroit idéal pour une promenade à pied à partir de la Grand Place. C'est aussi le centre touristique de la ville avec ses magasins spécialisés, ses restaurants, ses tavernes typiques et les monuments fantastiques qui remontent au Moyen Age et se succèdent jusqu'au XIXe siècle. Vous pourrez y acheter les meilleurs bonbons au chocolat (Godiva et Neuhaus sur la Grand Place, Léonidas sur le Boulevard Anspach) et les dentelles les plus délicates (Manufacture Belge de Dentelles, à la Galerie de la Reine). Vous pourrez aussi y contempler les chefs-d'œuvre de l'architecture bruxelloise, l'Hôtel de Ville et, par extension, la Grand Place et la Cathédrale outre le célèbre Manneken-Pis.

THE LOWER CITY

The Lower City (Ville Basse), which embraces the historic and business centre of Brussels, is ideal for visiting on foot, starting from the Grand Place. This area is also an important tourist attraction due to its specialist shops, restaurants, typical taverns and fantastic monuments, spanning the period from the Middle Ages to the 19th century. This is where we can buy the finest sweets and chocolates (Godiva and Neuhaus on the Grand Place, or Leonidas on the Boulevard Anspach) and the most magnificent lacework (Manufacture Belge de Dentelles, in the Queen's Gallery or Galerie de la Reine), as well as providing the chance to admire such masterpieces of Brussels architecture as the Town Hall, the surrounding Grand Place and the Cathedral, not to mention the Manneken Pis.

Tramway jaune typique avec ses portes bleues.

A typical yellow tram with blue doors.

Les édifices des confréries de la Grand Place sont couronnés par des gables curvilignes.

The guild buildings in the Grand Place are crowned by curved gables.

La Maison du Roi. Totalement reconstruite en 1 872 suivant le style néo-gothique. Elle abrite un intéressant Musée Municipal.

The Maison du Roi (King's House). Complete reconstructed in Gothic Revival style in 1872, the building houses the interesting City Museum.

Le Marché aux Fleurs de la Grand Place n'est fermé que le dimanche.

The flower market in the Grand Place is open every day except Sundays.

Détail du luxueux restaurant La Maison du Cygne, dans la maison homonyme. On dit que sous les ailes de son emblème, un cygne, Marx et Engels écrivirent, en 1847, le Manifeste Communiste.

Partial view of the luxurious restaurant La Maison du Cygne, housed in the building of the same name. It is said that Marx and Engels wrote the Communist Manifesto under the wings of the restaurant sign, a swan, in 1847.

Détail de la Maison des Brasseurs, dans l'ancien Arbre d'Or. C'est aujourd'hui un musée privé dans lequel on peut déguster une excellente bière.

Partial view of the Maison des Brasseurs, in the old Arbre d'Or. The building now houses a private museum which serves excellent beer.

*La taverne « La Chaloupe d'Or »,
ancien siège des Tailleurs.
La taverne du Roi d'Espagne,
ancienne Maison des Boulangers,
conserve sur sa façade un buste
de l'empereur Charles Quint.*

The Chaloupe d'Or tavern, housed
in the old tailors' guild house.
A bust of Emperor Charles V
adorns the front of the Roi
d'Espagne tavern, which
formerly housed the Bakers'
Guild.

*Le mémorial au héros bruxellois
Everard't Serclaes fut construit à
l'endroit où il rendit son dernier
soupir, près de la Grand Place,
en 1 388. La tradition raconte
que celui qui caresse le bras du
héros aura du bonheur toute
l'année.*

The memorial to the local hero
Everard't Serclaes was erected on
the site where Serclaes breathed
his last, near the Grand Place,
in 1388. According to tradition,
those who touch the Belgian
hero's arm will have a great
stroke of luck within the year.

Le Musée du Costume et de la Dentelle (12, rue de la Violette) est un hommage de l'activité qui fut la réputation et la prospérité de la ville. On peut y admirer de belles collections de dentelles, de broderies, de costumes et de haute couture.

The Costume and Lace Museum (Musée du Costume et de la Dentelle, 12, Rue la Violette) pays homage to an activity that was once the pride of the city, as well as an important source of income here. The museum boasts important collections of lace, embroidery, costumes and haut couture.

La Bourse (2, rue H. Maus), temple des finances en Belgique. L'édifice, construit entre 1 871 et 1 873, présente un fronton avec la Belgique protégeant l'industrie et le commerce.

The Stock Exchange (2, Rue H. Maus), the Belgian temple of finances. The pediment over the building, which was completed between 1871 and 1873, features a representation of Belgium protecting industry and trade.

Manneken-Pis (rue de l'Étuve). Installé au XVIIe siècle pour décorer une fontaine qui donnait de l'eau potable au quartier, c'est aujourd'hui une référence incontournable de la ville. Le Musée Municipal conserve plus des 700 costumes de son vestiaire.

Manneken Pis (Rue l'Étuve). Installed in the 17th century to adorn a fountain providing drinking water to the neighbourhood, this is now an outstanding symbol of the city. The more than 700 costumes that comprise the statue's «wardrobe» are displayed in the City Museum.

L'Îlot Sacré, quatre rue près de la Grand Place, véritable paradis des gastronomes.

The Îlot Sacré quarter embraces four streets adjoining the Grand Place, and is a veritable paradise for gourmets.

La Maison Dandoy (à l'Îlot Sacré) : gaufres, pains de gingembre et biscuits à la cannelle.

Maison Dandoy (in Îlot Sacré): for waffles, gingerbread figures and cinnamon-flavoured biscuits.

Le Cirio (à l'Îlot Sacré) conserve une merveilleuse décoration Art Nouveau, de 1 886. Bien que fondé par un inventeur de concentré de tomates, sa spécialité est le « moitié moitié » (half and half), un combiné de champagne et vin blanc.
A boire bien froid.

Le Cirio (in Îlot Sacré) boasts magnificent Art Nouveau decoration dating to 1886. Though founded by the inventor of tomato puree, the speciality of the house is «half and half», a drink made from equal parts champagne and white wine. Best taken well chilled.

La rue des Bouchers, avec ses immeubles aux gables échelonnés, est la plus fréquentée de l'Îlot Sacré.

Rue des Bouchers, where many buildings sport stepped gables, is the busiest street in Îlot Sacré.

Chez Léon (Îlot Sacré), connu pour ses moules et ses frites.

Chez Léon (in Îlot Sacré) is famed for its mussels and chips.

16

La rue du Marché-aux-Herbes, étroite et bordée de maisons splendides.

Rue du Marché-aux-Herbes, a narrow street lined with splendid mansions.

Les Galeries Saint-Hubert (rue du Marché-aux-Herbes), construites au milieu du XXe siècle, furent les premières galeries couvertes d'Europe.

The Saint-Hubert Galleries (Rue du Marché-aux-Herbes), built in the mid-20th century, were the first covered galleries in Europe.

La cathédrale gothique saint Michel et sainte Gudule fut construite entre le XIIIe et le XVIe siècle mais elle a été soumise à d'excessives restaurations.

The Gothic Cathedral of St Michael and St Gudula was built between the 13th and 16th centuries, but has since been spoilt by alterations.

L'artistique chaire de la cathédrale fut sculptée par François-Henri Verbruggen en 1 699.

The artistic cathedral pulpit was carved by Henri-François Verbruggen in 1699.

Nef principale de la cathédrale. Le maître-autel protège les tombes des époux Jean de Brabant et Marguerite de York et de l'archiduc Ernest d'Autriche.

The cathedral nave. The high altar contains the tombs of John of Brabant, his wife, Margaret of York and Archduke Ernest of Austria.

Vitraux de la cathédrale.

Cathedral: stained glass windows.

Cathédrale. Chapelle du Très Saint Sacrement. De style gothique, on peut y admirer un autel en chêne sculpté par les frères Goyers en 1 849.

Cathedral: Chapel of the Holy Sacrament. Built in Gothic style, the chapel features an oak altar carved by the Goyers brothers in 1849.

Centre Belge de la Bande Dessinée, au 20 rue de Sables. Gaston, Tintin, Milou, le capitaine Haddock règnent dans ce paradis pour les enfants et pour les grands.

Comic Strip Museum (Centre Belge de la Bande Dessiné) at 20, Rue Sables. Gaston, Tintin, Snowy and Captain Haddock reign supreme in this paradise for children and adults alike.

Le Théâtre Royal de la Monnaie (Place de la Monnaie). Dans ce temple de l'opéra commença, en 1 830, l'insurrection qui conduisit à l'indépendance de la Belgique.

Royal Theatre de la Monnai (Place de la Monnai). It was in this temple to the operatic arts that the insurrection began that was to lead to Belgian independence in 1830.

Statue de la Vierge de la Miséricorde (Notre-Dame du Bon Secours), à la rue Marché-au-Charbon. Plante hexagonale pour un baroque italianisant.

Church of Notre Dame-de-Bon-Secours in Rue Marché-au-Carbon. This Italianate baroque church has a hexagonal ground plan.

23

Eglise de la Vierge des Clarisses (Notre-Dame aux Riches-Claires) dans la rue homonyme. Bien que de style flamand on peut y voir les influences du baroque.

Church of Notre-Dame-aux-Riches-Claires, in the street of the same name. Though essentially in Flemish Renaissance style, the baroque influence is also evident in this church.

La Place Sainte-Catherine occupe l'ancien port et le marché aux poissons. Nous y verrons l'église Sainte-Catherine, du XIXe siècle.

Place Sainte-Catherine stands on the site of the old port and fish market. Outstanding in this square is the 19th-century Church of St Catherine.

Le Boulevard Anspach fut autrefois un endroit à la mode. C'est ici que se trouve l'Hôtel Métropole, un des plus raffinés et prestigieux de la ville, idéal pour y prendre un verre et un bon repas.

The Boulevard Anspach was once a most fashionable thoroughfare. Here we find the Hotel Métropole, one of the most refined and prestigious establishments in the city, ideal for a drink and an excellent, if expensive, meal.

La Tour Noire (Place Sainte-Catherine) est un vestige de la muraille médiévale. Place des Martyrs. Une fontaine de 20 mètres honore la mémoire de Jules Anspach (1 863-1 879).

The so-called Black Tower (Place Sainte-Catherine) once formed part of the medieval city walls.
Place des Martyrs. A 20-metre high fountain stands in this square in honour of the memory of Jules Anspach (1863-1879).

La Maison de la Bellone (48, rue de Flandre) est une magnifique maison baroque qui a été reconvertie en centre d'exposition.

The Maison de la Bellone (46, Rue Flandre) is a magnificent baroque mansion now converted into an exhibition centre.

Basilique béguine Saint-Jean Baptiste (Place du Béguinage). Ce béguinage bruxellois accueillit à sa meilleure époque plus de 1 200 femmes.

Beguine Basilica of St John the Baptist (Place du Béguinage). The Beguine community was once formed by no fewer than 1,200 women.

Eglise de la Vierge du Finisterre (Notre-Dame du Finisterre) à la rue neuf. Elle remplaça, au XVIIIe siècle, une chapelle du XVe siècle dite de Venstersterre.

Notre-Dame du Finistère, in Rue Nueve. This church was built in the 18th century to replace a 15th-century church known as the Venstersterre.

27

La Gare Centrale, sur le Boulevard de l'Empereur, prête ses services aussi bien à la Ville Basse qu'à la Ville Haute.

Central Station, on Boulevard de l'Empereur, provides services to both the Lower City and the Upper City.

LA VILLE HAUTE THE UPPER CITY

De grands boulevards, très au goût de Haussmann et des avenues modernes dessinent le tissu urbain de la Ville Haute. Toutefois, avant de pénétrer dans ce quartier, il vaut mieux choisir les endroits que nous voulons visiter car l'accumulation d'édifices somptueux, de musées, de places et de jardins est énorme. Le meilleur itinéraire est celui qui commence à la Place Royale à laquelle nous arriverons à travers les escaliers du Mont des Arts. Nous pourrons alors facilement nous rendre au Musée des Beaux Arts et aux places du Grand Sablon et du petit Sablon. Réservez un peu de votre temps pour faire une visite aux luxueux magasins (il y en a un peu partout et ils sont toujours agréables à contempler) et pour prendre un verre dans l'un des bars *à la page* ou dans un des grands hôtels.

The Upper City (Ville Haute) is configured by vast boulevards, which would have delighted Haussmann, as well as modern avenues. However, before we begin to explore this quarter, we should perhaps first choose the places we wish to visit, as this part of the city boasts enormous numbers of buildings, museums, squares and gardens. The best way of starting is to take the Mont des Arts steps up to the Royal Square (Place Royale), leading to the Museums of Fine Arts, a highly recommended visit, and to Grand Sablon and Petit Sablon squares. Leave time, too, for the luxury boutiques (the same as anywhere else, but always a delight to gaze at) and to have a drink at a fashionable bar or in some luxury hotel.

Une statue équestre d'Albert I préside l'entrée à l'escalier du Mont des Arts.

An equestrian statue of Albert I presides over the access to the Mont des Arts steps.

La monumentale horloge du Mont des Arts, avec ses automates et, tout en haut, la statue du soldat en uniforme de 1 830 qui sonne les heures en frappant sur une cloche de 1 750 kilos.

The monumental clock in Mont des Arts, with its different mechanical features and, at the top, the figure of a uniformed soldier installed in 1830, which strikes the hour on a bell weighing 1,750 kilos.

Jardins du Mont des Arts qui communiquent la Place Albertine à la Place Royale.

The Mont des Arts Gardens, which communicate Place de Albertine with Place Royale.

La Place du Musée est entourée par les Musées Royaux des Beaux Arts. L'édifice supérieur correspond à la section Art Ancien et l'inférieur à l'Art Moderne.

Place du Musée is surrounded by the buildings forming the Royal Museums of Fine Arts. The building above houses the Ancient Art Section, whilst the one below is devoted to modern art.

*Façade principale des Musées Royaux des Beaux Arts.
Celui de l'Art Ancien possède une magnifique collection
de peintures flamandes et celui d'Art Moderne
expose des travaux de quelques-uns des plus connus
créateurs belges des deux derniers siècles.*

Façade of the Royal Museums of Fine Arts. The museum
devoted to ancient art boasts a superb collection of
Flemish painting, whilst the Museum of Modern Art
exhibits more recent works by some of the most
outstanding Belgian artists in more recent times.

Dans les anciens magasins Art Nouveau de l'Old England Shop (2, rue Montagne de la Cour), se trouve le magnifique Musée des Instruments Musicaux. N'oubliez pas que le saxophone a été inventé par le belge Adolphe Sax.

The historic Art Nouveau building once occupied by the Old England Shop (2, Rue Montagne de la Cour) now houses a magnificent Museum of Musical Instruments. Don't miss the saxophones, examples of an instrument invented by a Belgian, Adolphe Sax.

Le palais Ravenstein (rue Ravenstein) est une splendide maison bourguignonne du XVe siècle qui a été transformée en restaurant.

The Ravenstein Palace, in the street of the same name, is a splendid 15th-century Burgundian mansion now converted into a restaurant.

Le palais des Beaux Arts (23, rue Ravenstein), dessiné par le célèbre architecte Victor Horta qui démontre que nul n'est parfait.

The Palais des Beaux-Arts (23, Rue Ravenstein), designed by the celebrated architect Victor Horta, proves that no one is perfect.

Place Royale. La statue équestre de Godefroy de Bouillon, célèbre croisé et premier roi chrétien de Jérusalem, se dresse devant l'église Saint-Jacques-sur-Coudenberg.

Place Royale. The equestrian statue of Godfrey of Bouillon, the famed crusader and first Christian king of Jerusalem, stands before the Church of Saint-Jacques-sur-Coudenberg.

Au bout des escaliers du Mont des Arts on trouve la Place Royale qui nous offre une belle perspective sur la Ville Basse.

Place Royale lies at the foot of the Mont des Arts steps, which command magnificent views over the Lower City.

Le Palais Royal présente une façade de style Louis XVI.

The Palais Royal has a Louis XVI style façade.

Le parc de Bruxelles et, au fond, le Palais de la Nation.

Brussels Park with, in the background, the Palais de la Nation.

La Colonne du Congrès, près de la Rue Royale, honore la mémoire des pères de la patrie qui élaborèrent, en 1 831, la première constitution belge. Une statue du premier monarque du pays avec la couronne et, à ses pieds, la flamme éternelle qui illumine la tombe du soldat inconnu.

The Congress Column, beside the Rue Royale, was erected in honour of the congressmen who drew up Belgium's first constitution in 1831. The column is crowned by a statue of the first Belgian monarch, whilst an eternal flame burns before the Tomb of the Unknown Soldier at its feet.

La Rue Royale relie le Palais Royal au quartier du Jardin Botanique et à la Gare du Nord. Elle est bordée par de beaux immeubles Art Nouveau comme cette boutique et la brasserie « De Ultieme Hallucinatie » ou l'Hôtel Pullman Astoria, de style édouardien.

Rue Royale links the Palais Royale with the Botanic Garden area and North Station. Here we find splendid Art Nouveau buildings, including this one, which houses the De Ultieme Hallucinatie shop and brasserie, and others such as the Edwardian-style Hotel Pullman Astoria.

Le jardin Botanique, à la Rue Royale, fut créé en 1 826 par la société Royale d'Agriculture. Bien que le tunnel pour automobiles ait été considérablement réduit, il conserve un herbier et une bibliothèque.

The Botanical Garden, in Rue Royale, was established in 1826 by the Belgian Royal Agricultural Society. Though reduced in size by the construction of a traffic tunnel, the site still conserves a herb garden and a library.

Notre-Dame du Sablon. Ce joyau gothique tardif occupe les anciens terrains d'une chapelle du XIVe siècle, construite pour sanctifier le vol d'une statue miraculeuse qui est vénérée à Anvers. Admirez, en visite nocturne, ses vitraux illuminés.

Notre-Dame du Sablon. This late-Gothic jewel stands on the site of a 14th-century chapel built to house a reputedly miraculous statue once stolen and venerated in Antwerp. The illuminated stained-glass windows here are a joy to behold in the evening.

La Fontaine de Minerve, sur la Place du Grand Sablon, fut un cadeau du comte d'Aylesbury pour l'hospitalité que lui dispensa la ville.

The Fountain of Minerva, Place du Grand Sablon, was a gift from the Earl of Aylesbury in gratitude for the city's hospitality.

Place du petit Sablon. Monument à Egmont et Horne, aristocrates qui furent décapités sur l'ordre du duc d'Alba. Quarante huit statues de bronze représentant les anciennes confréries entourent la place.

Place du Petit Sablon. Monument to Egmont and Horne, aristocrats beheaded by order of the Duke of Alba. All around the square are 48 bronze statues representing the old guilds.

Palais Egmont (8, Place Petit Sablon), du XVIe siècle, aujourd'hui siège du Ministère des Affaires Etrangères.

The 16th-century Palais d'Egmont (8, Petit Sablon) which now houses the Ministry of Foreign Affairs.

Le palais de Justice (Place Poelaert) et monument au soldat inconnu.

The Palace of Justice (Place Poelaert) and the Monument to the Unknown Soldier.

42

Notre-Dame-de-la-Chapelle, sur la place homonyme, est un bel exemplaire de l'architecture romanico-gothique.

Notre-Dame-de-la Chapelle, in the square of the same name, is a fine example of Romanesque-Gothic architecture.

La Porte de Hal (Boulevard du Midi), du XIVe siècle, est la seule porte de l'ancienne muraille qui fut démolie au début du XIXe siècle. Elle abrite actuellement le Musée du Folklore.
Place du jeu de Balle (quartier de Marolles). Chaque matin, depuis 1 919, on peut participer au plus typique des marchés d'antiquités de Bruxelles.

The 14th-century Porte de Hal (Boulevard du Midi) is the only gate that remains standing since the city walls were demolished in the early-19th century. It now houses the Folklore Museum. Place del Jeu de Balle (Marolles). Brussels' most traditional antique fair has opened in this square every morning since 1919.

La maison dans laquelle vécut et mourut Brueghel le Vieux (132, rue Haute). On peut la visiter les mercredi et les samedi après-midi.

The house where Brueghel the Elder lived and died (132, Rue Haute) is open to the public on Wednesdays and Saturday afternoons.

L'Arc du Cinquantenaire, dans le parc homonyme, fut construit en 1 904-1 905 pour commémorer le cinquantenaire de l'indépendance de la Belgique.

The arch in Cinquantenaire Park was erected in 1904-1905 to commemorate the 50th anniversary of Belgian independence.

QUARTIERS DU CINQUANTENAIRE ET DE LOUISE

THE CINQUANTENAIRE AND LOUISE DISTRICTS

Le quartier du Cinquantenaire est un peu à l'écart et il faut donc s'y rendre expressément. Mais si vous en avez le temps, la visite vaut le coup (Métro Schuman). Il fut construit pour commémorer les 50 ans de l'indépendance de la Belgique. Nous y trouverons le Parc du Cinquantenaire, présidé par un Arc de Triomphe. C'est ici que se trouvent les Musées Royaux d'Art et d'Histoire, le Musée Royal de l'Armée et l'Autoworld. Tout près, la Place Schuman est le cœur des institutions européennes et le bastion des *eurocrates*. La Rue Archimède nous conduira à la Place Ambiorix, centre d'importants et quelques fois délirants édifices de l'Art Nouveau.

Le quartier de Louise, lui aussi à l'écart (métro Louise), s'étale autour de l'Avenue homonyme. D'importants bâtiments de l'Art Nouveau et d'autres tout simplement bien construits, des magasins sophistiqués et des brasseries à la mode occupent les alentours de la rue Defacqz.

A little further off, the Cinquantenaire district takes us off our route, but is nevertheless well worth a visit (Metro: Schuman). Built to commemorate the 50th anniversary of Belgian independence, the most interesting sights in this district include the Cinquantenaire Park, with its triumphal arch (Arc de Triomphe). This park is where we find the Royal Museums of Art and History, the Royal Army Museum and Autoworld. Nearby, moreover, is the Place Schuman, seat of European institutions and Eurocrat bastion. Taking Rue Archimède, we come to Place Ambiorix, where we can admire several interesting –and sometimes incredibly striking– Art Nouveau buildings.

The Louise district, also a little way outside the centre (Metro: Louise) lies in the area around the avenue of the same name. Here we find famous Art Nouveau buildings, alongside other interesting monuments, as well as sophisticated boutiques and fashionable beer houses, mostly around Rue Defacqz.

Façade principale des Musées Royaux d'Art et d'Histoire. Ils comprennent trois départements : antiquités, industries artistiques et art populaire ethnographique.

Façade of the Royal Museums of Art and History. The museum departments include sections devoted to antiquity, industrial art and popular art and ethnography.

Edifices de la Commission Européenne, sur la Place Robert Schuman. On peut visiter aussi bien le siège de la commission que celui du Parlement européens.

European Commission buildings in Place Robert Schuman. Both the Commission headquarters and the European Parliament building are open to the public.

Le Musée Royal de l'Armée, un des plus grands musées militaires du monde. Il expose des armes du Moyen Age à nos jours ainsi que 80 avions.

The collections in Royal Army Museum, one of the largest military museums in the world, include weapons from the Middle Ages to the present and 80 aircraft.

L'Hôtel Saint-Cyr, sur la Place Ambiorix. La délirante maison du peintre Saint-Cyr fut construite en 1 904 dans un style baptisé « Macaronis épileptiques ».

The Hôtel Saint-Cyr, in Place Ambiorix. The amazing house belonging to the painter Saint-Cyr was built in 1904 in a style baptised as «epileptic macaroni».

La maison de Van Eetvelde, ancien secrétaire général du Congo, sur l'Avenue Palmerston, est un véritable joyau Art Nouveau de Victor Horta et un chant au colonialisme.

The house of Baron Van Eetvelde, former state secretary for the Congo, in Avenue Palmerston, an Art Nouveau jewel by Victor Horta, and a paean to colonialism.

Le parc Léopold, une île de tranquillité au milieu du quartier de l'Europe.

Leopold Park, a haven of peace in the Europe quarter.

Le Musée des Sciences Naturelles (29, rue Vautier) nous permet de contempler les squelettes d'iguanodons trouvés en 1 878 à Bernissart.

The Natural Science Museum (29, Rue Vautier) exhibits iguanodont skeletons found in Bernissart in 1878.

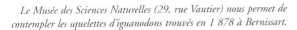

Musée Victor Horta (25, rue Américaine). La maison et l'atelier du célèbre architecte moderniste conservent leur décoration originelle.

The Victor Horta Museum (25, Rue Américaine). The original decoration in the house and studio of this famed Art Nouveau architect has been conserved.

La Basilique Nationale du Sacré Cœur ou de Koekelberg, fut construite entre 1 905 et 1 969. Elle est énorme : la nef centrale mesure 165 mètres de long sur 108 de large et la coupole arrive aux 100 mètres de hauteur.

The National Basilica of the Sacred Heart, or Koekelberg, was built between 1905 and 1969. Its dimensions are impressive: the central nave is 165 metres long and 108 metres wide, whilst the dome is 100 metres in height.

Encore plus loin du centre, sur le plateau de Koekelberg, la basilique nationale du Sacré Cœur dresse sa silhouette. Sa construction commença en 1 905 afin de commémorer un autre anniversaire de l'indépendance nationale : le 75e.

A little further still from the centre, in Koekelberg, stands the monumental National Basilica of the Sacred Heart. Construction began in 1905 to commemorate another anniversary of national independence: this time the 75th.

Jardins du Château Royal : le Pavillon Chinois et la Pagode Japonaise, aujourd'hui deux musées dédiés à l'art oriental.

Château Royal gardens: in the grounds of this «royal castle» stand the Chinese Pavilion and the Japanese Pagoda, which now house museums devoted to oriental art.

LAEKEN ET HEYSEL

LAEKEN AND HEYSEL

La résidence de la famille royale se trouve au Château Royal, au quartier de Laeken (métro Stuyvenbergh), au milieu d'un très beau parc que l'on peut visiter si on a la chance de coïncider avec l'une des rares journées durant lesquelles les serres royales s'ouvrent au public. Dans le parc il y a aussi le Pavillon Chinois et la Pagode Japonaise, les édifices construits pour l'Exposition Universelle de Paris de 1 900. Le premier est intérieurement décoré suivant les styles Louis XIV et Louis XVI et ils accueillent aujourd'hui des musées de l'art oriental.

L'attrait principal du quartier voisin, Heysel (métro Heysel), est l'Atomium, aujourd'hui aussi célèbre que le Manneken-Pis ou Tintin. Nous ne trouverons, dans ses neuf atomes, ni quartz ni muons mais un restaurant et plusieurs cafétérias. Aux pieds de l'Atomium on peut visiter Mini Europe, un parc thématique qui reproduit les monuments les plus spectaculaires d'Europe à l'échelle 1/25.

The Belgian royal family's official residence is the Château Royal, in Laeken (Metro: Stuyvenbergh). The castle sits amid lovely grounds which are a particular delight to visit on the rare days when the greenhouses are open to the public. This park also contains the Chinese Pavilion and the Japanese Pagoda, both built for the 1900 Universal Exposition in Paris. The interior of the former is decorated in Louis XIV and Louis XVI styles, whilst both now house museums of oriental art. The main attraction in nearby Heysel (Metro: Heysel) is the Atomium, nowadays as famous as the Manneken Pis or Tintin. There are no quarks or muons in its nine atoms, however, but a restaurant and several cafés. And at the feet of the Atomium is Mini-Europe, a theme park featuring the most spectacular monuments on the continent, all at 1:25 scale.

Monument à Léopold I, un petit temple de style gothique fleuri couronné par une flèche svelte.

The monument to Leopold I, a Flamboyant Gothic shrine crowned by a slender spire.

Au Planétarium, les grands et les petits pourront observer l'espace nocturne et ses millions d'étoiles.

At the Planetarium, young and old alike can gaze at the stars in the night sky.

Le parc des Expositions, construit pour commémorer le centenaire de l'indépendance belge. Il servit de cadre aux expositions universelles de 1 935 et de 1 958. Il accueille aujourd'hui foires et salons.

Exhibition Park, opened to commemorate the centenary of Belgian independence, was the site of the universal expositions in 1935 and 1958. It is now used as the venue for trade fairs and shows.

Plusieurs exemplaires des fameuses dentelles de Bruxelles.

Examples of the famous Brussels lace.

ARTISANAT

ARTS AND CRAFTS

La production artisanale la plus connue de la capitale belge est la dentelle. Du Moyen Age au XIXe siècle, la royauté et la noblesse européenne se sont disputées, non sans raison, la dentelle de Bruxelles pour la finesse de ses fils et la qualité de ses dessins. Actuellement sa manufacture a décliné quelque peu mais il y a encore des établissements où l'on peut trouver d'anciennes dentelles et des modernes aussi. Signalons la Manufacture Belge de Dentelles (Galerie de la Reine). Les musées du Costume et des Dentelles et les Musées Royaux d'Art et d'Histoire exposent de splendides collections.

Lace is the best-known craft article made in the Belgian capital. Not for nothing did the European royalty and nobility fight over Brussels lace from the Middle Ages to the 19th century, for it is made with the finest thread and features splendid designs. Production has declined now since that heyday, but various establishments, such as the Manufacture Belge de Dentelles (Galerie de la Reine), still offer lace both traditional and modern, whilst the Museum of Costume and Lace, in the Royal Museums of Art and History, exhibits magnificent collections.

Choix de pralines, une tentation pour les amateurs de chocolat.

A selection of pralines, a delight for all chocolate-lovers.

GASTRONOMIE

FOOD AND DRINK

La praline, un bonbon farci de liqueur, de crème ou tout simplement de chocolat noir, est la gloire de la confiserie belge. A Bruxelles, Godiva et Neuhaus se partagent le sommet de la délicatesse. Mary fabrique aussi un délicieux chocolat noir et Léonidas, un peu moins cher, est aussi une très bonne option.

Les gaufres et les moules aux frites sont aussi très typiques et répandues dans toute la Belgique. Les gaufres sont des biscuits au quadrillage en relief caractéristique que l'on mange seuls ou recouverts de sucre, de confiture ou de chocolat. Les moules aux frites sont un plat à la portée de tous et très nutritif. Si on ajoute un peu de pain au jus de cuisson, le repas est complet.

Il faut enfin parler du Choesels, une sorte de saucisse typique de la ville que l'on peut encore trouver et déguster dans quelques restaurants.

Belgium is rightly proud of its delicious pralines, which are chocolates filled with liqueur, cream or simply dark chocolate. In Brussels itself, Godiva and Neuhaus are rightly famed for their exquisite pralines. Mary makes delicious dark chocolate whilst Leonidas, a little more economical, is another excellent option.

Other foodstuffs found in Brussels and all over Belgium include waffles and the typical dish of mussels and chips (frites et moules). Waffles are batter cakes cooked between two hot plates to give them their characteristic gridlike appearance. They can be eaten alone, or covered with sugar, jam or chocolate. Mussels and chips is a cheap, filling dish that becomes a complete meal in itself when a little bread is used to mop up the sauce.

Finally, we cannot fail to mention the typical Choesels, a traditional sausage still served in many restaurants.

A n'importe quelle heure, une gaufre ou des moules avec des frites serviront de bouche-trou.

To any hour, gofre or mejillones with chips serves to calm the appetite.

*Les Bruxellois adorent
s'asseoir et manger au grand
air bien qu'ils ne puissent pas
le faire très souvent car il n'y
a que 1 540 heures annuelles
de soleil et il pleut de 160 à
170 jours par an.*

The people of Brussels love
to eat and drink in the open
air, though they rarely get
the chance, as the city
enjoys only 1,540 sunshine
hours per year, whilst it
rains 160-170 days a year.

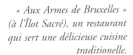

*« Aux Armes de Bruxelles »
(à l'Îlot Sacré), un restaurant
qui sert une délicieuse cuisine
traditionelle.*

«Aux Armes de Bruxelles» (in
Îlot Sacré) serves excellent food,
mainly Flemish cuisine.

Au cours des étés des années paires, le sol de la Grand Place se couvre d'un tapis de fleurs composé par 1 860 m² de bégonias.

In summer every even-numbered year, the Grand Place is covered by a «carpet» of flowers forming 1,860 square metres of begonias.

FETES

Il y a trois fêtes importantes à Bruxelles : l'Ommegang, la Fête Nationale et le Meyboom. L'Ommegang, le premier jeudi du mois de juillet, est un festival médiéval que les confréries fêtèrent pour la première fois en 1 549 en honneur à Charles Quint. Ce jour-là, plus de deux mille participants vêtus comme à l'époque et portant des étendards se retrouvent sur la Grand Place autour d'acteurs qui représentent l'empereur et sa famille. Toute la ville participe à la Fête Nationale, le 21 juillet. La journée s'achève par un grand feu d'artifice. Le Meyboom ou « arbre de mai » est planté le 9 août avant dix-sept heures pour commémorer la victoire des Compagnons de Saint-Laurent sur les gens de Lovaine. Il y a tout d'abord un riche cortège qui commence à la Grand Place. Il ne faut absolument pas rater, en août, le spectaculaire tapis de fleurs qui décore la Grand Place.

FESTIVITIES

Three celebrations are particularly outstanding in Brussels: the Ommegang, the Belgian National Day and the Meyboom. The Ommegang pageant, which takes place on the first Thursday in July, recreates a medieval festival first celebrated by the local guilds in honour of Charles V in 1549. On this great day, more than 2,000 participants, dressed in period costume and bearing flags, congregate in the Grand Place around the actors playing the part of the emperor and his family. Belgian National Day, which is on July 21 each year, is celebrated with events all over the city, and culminates with a splendid firework display. For its part, the Meyboom, or «May tree» must be planted before 5 pm each August 9 to commemorate the victory of the Crossbowmen of Saint-Laurent over the forces of Louvain. Finally, another festivity not to be missed, which also takes place in August, is when the Grand Place is covered by flowers to form a spectacular floral «carpet».

INDEX / CONTENTS

EDITORIAL FISA ESCUDO DE ORO, S.A.
Veneçuela, 105 - 08019 Barcelona
Tel: 93 230 86 00 - www.eoro.com

I.S.B.N. 84-378-2627-6
Imprimé par / Printed by FISA - Escudo de Oro, S.A.
Dépôt Légal / Legal Dep. B. 15885-2006